La petite fille aux ALLUMETTES

D'après **Andersen**
Illustré par **Mayalen Goust**

À Sandrine et Joanne.

M. G.

Père Castor ● Flammarion

© Flammarion 2005
ISBN : 978-2-0816-2771-0 – ISSN : 1768-2061

Comme il faisait froid !
Il neigeait, et il commençait à faire sombre.
C'était le dernier soir de l'année, la veille du jour de l'an.
Par ce froid et dans cette obscurité,
une petite fille marchait dans la rue, la tête et les pieds nus.
Oh, elle avait bien des pantoufles en quittant la maison,
mais elles ne lui avaient pas servi longtemps :
c'étaient de grandes pantoufles que sa mère avait déjà usées,
si grandes que la petite les perdit en se dépêchant de traverser
la rue entre deux voitures. L'une fut impossible à retrouver,
et un garçon courait avec l'autre disant qu'elle pourrait
lui servir de berceau quand il aurait des enfants.

La petite fille marchait donc avec ses petits pieds nus,
qui étaient rouges et bleus de froid.
Elle avait dans son vieux tablier une grande quantité d'allumettes,
et en tenait un paquet à la main.
De toute la journée, personne ne lui en avait acheté ;
personne ne lui avait donné le moindre sou.

Elle avait bien faim, bien froid, et bien triste mine,
la pauvre petite !
Les flocons de neige tombaient sur ses longs cheveux dorés,
qui bouclaient joliment dans son cou,
mais elle ne pensait pas à cette parure.
À toutes les fenêtres brillaient les lumières
et une délicieuse odeur d'oie rôtie se répandait dans la rue ;
c'était la veille du jour de l'an : voilà à quoi elle pensait.

Elle s'assit et se blottit dans un angle entre deux maisons.
Elle avait replié ses petites jambes sous elle,
mais elle avait encore plus froid.
Elle n'osait pas rentrer chez elle,
car elle n'avait pas vendu d'allumettes et pas reçu un sou.
Son père la battrait. Et il faisait froid aussi chez eux.
Ils logeaient sous le toit et le vent sifflait au travers,
malgré la paille et les chiffons qui bouchaient
les plus grosses fissures.

Ses petites mains étaient presque mortes de froid.
Oh, comme une petite allumette leur ferait du bien !
Si elle osait en tirer une seule du paquet,
la frotter sur le mur et se réchauffer les doigts !
Elle en tira une : pfutt ! comme le feu jaillit ! comme elle brûla !
C'était une flamme chaude et claire,
comme une petite chandelle qu'elle entoura de sa main.
Quelle drôle de lumière !

Il semblait à la petite fille qu'elle était assise
devant un grand poêle de fer orné de boules de cuivre
et surmonté d'un tuyau de cuivre.
Le feu y brûlait délicieusement, il réchauffait si bien.
Mais, qu'y a-t-il donc ?...

La petite fille étendait déjà ses pieds pour les chauffer aussi…
quand la flamme s'éteignit, le poêle disparut…
Elle se retrouva assise, un petit bout de l'allumette brûlée à la main.

La fillette frotta une seconde allumette, qui brûla, qui brilla.
Là où la lueur tomba sur le mur,
il devint transparent comme un voile.
La petite pouvait voir jusque dans une salle
où une table, à la nappe d'une blancheur éclatante,
était couverte de fines porcelaines.

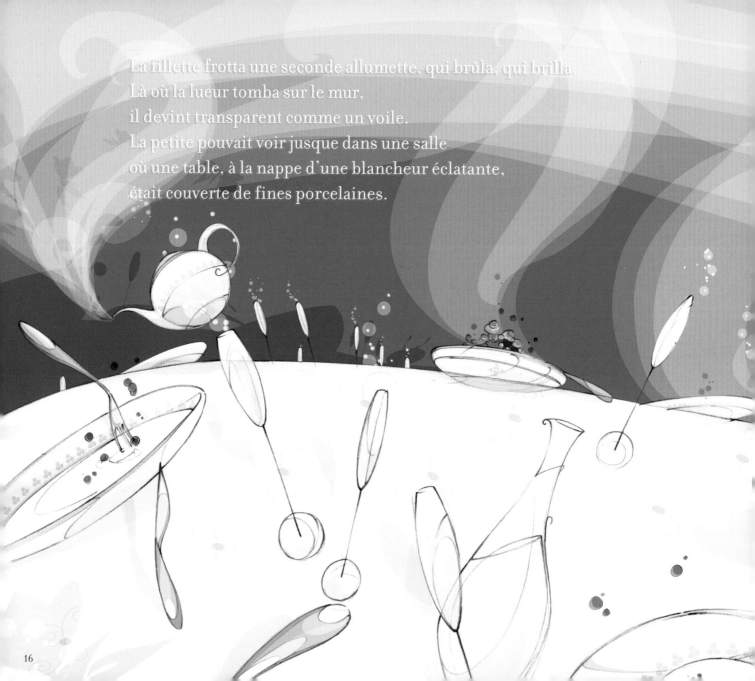

Une oie rôtie, farcie de pruneaux et de pommes,
fumait avec un parfum délicieux. Et, ô surprise, ô bonheur !
tout à coup, l'oie sauta de son plat, marcha sur le plancher,
la fourchette et le couteau dans le dos, jusqu'à la pauvre fille.
Alors, l'allumette s'éteignit : la petite n'avait plus devant elle
que le mur gris et froid.

Elle alluma une troisième allumette. Aussitôt elle se vit assise
sous un magnifique arbre de Noël ; il était plus grand
et plus paré encore que celui qu'elle avait vu, au dernier Noël,
à travers la porte vitrée, chez le riche marchand.
Mille chandelles brûlaient sur les branches vertes,
et des images de toutes les couleurs, comme celles qui ornent
les fenêtres des boutiques, semblaient lui sourire.

La petite fille éleva les deux mains… et l'allumette s'éteignit.

Toutes les chandelles de Noël montaient,

montaient de plus en plus haut, et la petite s'aperçut

qu'elles étaient devenues des étoiles scintillantes.

L'une d'elles tomba, et traça une longue raie de feu dans le ciel.

« En voilà une qui meurt », se dit la petite ;

car sa vieille grand-mère, qui seule avait été bonne pour elle,

mais qui était morte, lui répétait souvent :

« Lorsqu'une étoile tombe, c'est qu'une âme monte à Dieu. »

La petite fille frotta encore une allumette sur le mur,
et il se fit une grande lumière au milieu de laquelle était
la grand-mère debout, avec un air si doux, si radieux.
« Grand-mère, s'écria la petite, oh, emmène-moi !
Je sais que tu ne seras plus là lorsque l'allumette s'éteïndra.
Tu disparaîtras comme le poêle chaud, comme l'oie rôtie,
comme le bel arbre de Noël. »

Et elle frotta en hâte tout le reste des allumettes,
car elle voulait retenir sa grand-mère.
Et les allumettes brillèrent d'un tel éclat
qu'il faisait plus clair qu'en plein jour.
Jamais la grand-mère n'avait été si grande ni si belle !
Elle prit la petite fille sur son bras,
et toutes les deux s'envolèrent joyeuses, haut, si haut,
qu'il n'y avait plus ni froid, ni faim, ni inquiétude.
Elles étaient au ciel.

Mais dans le coin, entre les deux maisons,
quand vint le froid matin, la petite fille
était assise, les joues toutes roses,
le sourire sur la bouche… morte, morte de froid,
la dernière nuit de la vieille année.
Le jour se leva sur le petit cadavre assis là
près des allumettes, dont un paquet avait été
presque tout brûlé. « Elle a voulu se chauffer ? »
dit quelqu'un. Tout le monde ignora
les belles choses qu'elle avait vues,
et au milieu de quelle splendeur elle était entrée
avec sa bonne grand-mère dans la joie du Nouvel An !

Imprimé par Pollina, Luçon, France - 82139 - 08/2017 – Dépôt légal : mars 2005
Éditions Flammarion (N° L.01EJDNFP2771.C008) – 87, quai Panhard-et-Levassor. 75647. Paris Cedex 13
Loi n°49-956 du 16 juillet 1949 sur les publications destinées à la jeunesse.